An t-Each

Dha Sandra agus Tim
MD

Dha Olivia
Taing dha Kimberley Berry, taca Deen City
agus Deanhills Stud airson mar a chuidich iad.
AR

SIMON AGUS SCHUSTER

A' chiad fhoillseachadh am Breatainn an 2009 le Simon & Schuster UK Ltd,
Africa House, 64-78 Kingsway, Lunnainn WCC 2B 6AH
COMPANAIDH CBS

7 Sràid Sheumais, Steòrnabhagh, Eilean Leòdhais
info@acairbooks.com
www.acairbooks.com

Chaidh an leabhar sa Bheurla a dhealbhachadh le
Genevieve Webster.

Chaidh an leabhar sa Ghàidhlig a dhealbhachadh le Mairead Anna NicLeòid

Chaidh an leabhar seo fhoillseachadh sa Ghàidhlig le rèite eadar Acair agus Simon & Schuster.

Gheibhear clàr-catalog dhan leabhar ann an Leabharlann Bhreatainn.

Clò-bhuailte ann an Sìona

Chuidich Comhairle nan Leabhraichean am foillsichear
le cosgaisean an leabhair seo.

Tha Acair a' faighinn taic bho Bhòrd na Gàidhlig.

ISBN 9780861523078 (13)
ISBN 0861523075 (10)

An t-Each

Malachy Doyle

Angelo Rinaldi

SIMON AGUS SCHUSTER

Lunnainn • New Iorc • Sydney

Tha each ag ithe anns a' phàirc mhòr. 'S e làir a th' innte.
Tha am feur a' còrdadh rithe.

Bidh a' chlann a' tighinn a chèilidh oirre.
Tha fàileadh blàth milis bhuaipe,
agus tha a h-anail teth agus trom.
Tha sròn mhòr bhog oirre.

Tha craiceann a h-aghaidh mar mheileabhaid.
Bidh a' chlann a' slìobadh a h-aghaidh agus
a' bruidhinn rithe air an socair.
Agus bidh ise na seasamh gun ghluasad.

Oidhche chiùin earraich, tha i
a' breith searrach.
Tha i a' seasamh le faiceall os
a chionn agus ga imlich gu lèir.

Sa chàinealachadh tha an searrach na sheasamh air a chasan fada caola a' toirt sùil a-mach air a' chloinn a tha a' cur fàilte air dhan t-saoghal.

Tha an searrach a' fàs mòr agus a' dèanamh toileachas ris gach latha, a' toirt brag le a chasan air an talamh bhog, a' crathadh earbaill agus a' ruith na dheann timcheall na pàirce.

Agus ann an àirde an t-samhraidh, bidh an searrach
na shìneadh air an fheur a' dèanamh norrag,
a chasan paisgte agus a cheann crom, is a mhàthair
a' cumail sùil air.

Agus nuair a bhios na duilleagan a' tuiteam is an solas a' ciaradh bidh an làir mhòr a' cromadh a h-amhaich aon uair eile airson gun tèid srian a chur oirre. Chan fhada gus a bheil i na trotan tron phàirc is an searrach às a dèidh.

Mun àm san tig an geamhradh tha a chòta
tiugh agus mìn.
Tha an searrach a' fàs nas motha agus nas treasa
a h-uile latha, a' toirt breab le a chasan san
t-sneachd agus e na dheann-ruith sa phàirc.

An uair sin, air madainn bhrèagha earraich,
tha an nighean a' toirt dha curran.
Nuair a tha e ag ithe a' churrain
tha i a' cur ròpa mu amhaich
agus a' cur braighdean mu a shròin.
Tha a shròn blàth mar an sìoda.

Ise a’ slìobadh a chinn agus a’ bruidhinn
ann an guth ìosal, tha iad a’ dol timcheall
na pàirce air an socair.
“Bu tu an t-each àlainn,” tha i ag ràdh ris.

"Latha brèagha air choreigin tha mi fhìn 's tu fhèin a' dol a ghabhail tarsainn nam beanntan gu ruig sinn an cuan mòr … "